BEATRIZ GARCÍA HUERTAS

Lágrimas

● MPBA | FR

García Huertas, Beatriz

Beatriz García Huertas : Lágrimas / Beatriz García Huertas ; comentarios de Eduardo Peñafort ; Lucas J. Carrieri ; editado por Ana Giménez ; fotografías de Ina Estévez ; prólogo de Virginia Agote. - 1a ed . - San Juan : Museo Provincial de Bellas Artes Franklin Rawson, 2020.

64 p. ; 26 x 23 cm.

ISBN 978-987-47548-2-0

1. Arte Contemporáneo. 2. Arte Argentino. 3. San Juan . I. Peñafort, Eduardo, com. II. Carrieri, Lucas J., com. III. Giménez, Ana, ed. IV. Estévez, Ina, fot. V. Agote, Virginia, prolog. VI. Título.

CDD 709.82

CRÉDITOS PUBLICACIÓN

Dirección Virginia Agote
Textos Virginia Agote / Lucas Carrieri / Eduardo Peñafort
Coordinación Natalia Segurado / Carmen Pereyra / Paola Alaimo
Diseño Ana Giménez
Fotografía de obras Ina Estevez
Fotocromía e Impresión Akian Editora S.A.

CRÉDITOS EXPOSICIÓN

Curaduría Virginia Agote
Producción Natalia Segurado / Carmen Pereyra / Paola Alaimo

©2020 de la edición
Museo Provincial de Bellas Artes Franklin Rawson
Av. Libertador Gral. San Martín 862 oeste. San Juan. Argentina.
CP: 5400 / contacto@museofranklinrawson.org
Tel: +54 264 420 0598 / 0470

ÍNDICE

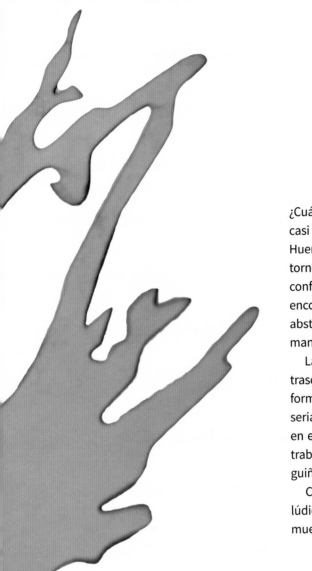

LA TURBULENCIA DE LAS NUBES

¿Cuántas figuras oculta la forma de una nube? La visión puede revelarnos una casi infinita variedad de respuestas. En la exhibición de las obras de Beatriz García Huertas aparece esa clase de pluralidad, como si los límites, los bordes y los contornos estuvieran sometidos a la fuerza de una turbulencia que los transforma, los confunde y los entrecruza. Cada obra remite a la totalidad, sin abarcarla. Podemos encontrar huellas y rastros figurativos encriptados en los aspectos aparentemente abstractos, y el desdibujo de la mímesis en los rasgos de rostros que surgen de la mancha o el calado de los soportes.

La fragmentación es uno de los ejes creativos de la artista, que de esta manera trasciende ciertas tradiciones figurativas del campo de la escultura. Los enunciados formales pueden ser entonces múltiples, pero siempre regidos por la producción seriada y la secuenciación de los procedimientos: calados, relieves, simetrías, citas en espejo, traslaciones operan tanto desde las pinturas digitales como desde los trabajos en metal. Las piezas bidimensionales citan a los relieves y éstos hacen un guiño a las posibilidades que se encuentran latentes en la obra gráfica.

Como las nubes de contorno impreciso, estos trabajos invitan a una mirada lúdica que descubra las alternativas siempre cambiantes de un proceso que se mueve hacia el futuro.

VIRGINIA AGOTE
Directora MPBA|FR

7

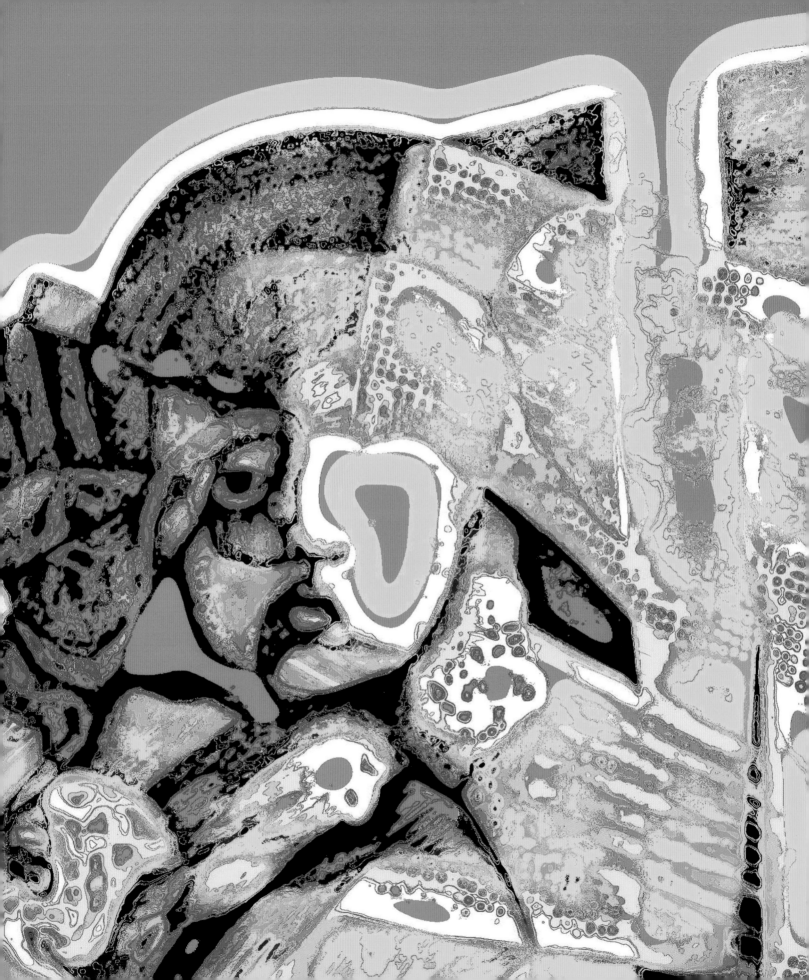

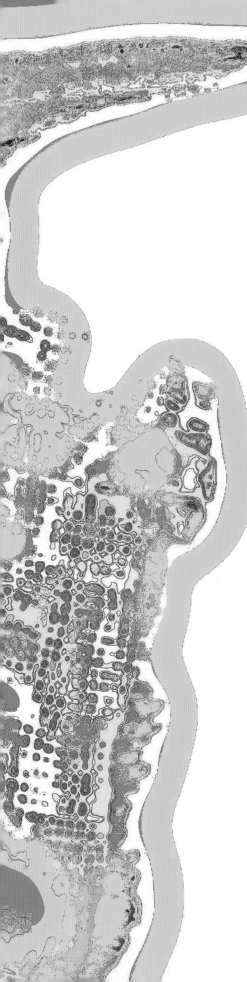

LÁGRIMAS

Beatriz García-Huertas expone un conjunto de trabajos que despliegan su visión sobre tópicos que dan origen a cinco series denominadas: *Hacia dónde?*, *Retratos*, *Máscaras*, *Migrantes* e *Intento de vuelo*.

La autora estima que se trata de una colección retrospectiva, puesto que los núcleos de significación son identificados con cuestiones constantes en su producción artística; pero, a su vez, es inédita ya que la génesis de la misma prosigue un derrotero alternativo al que vertebra la obra dada a publicidad. A lo largo del tiempo, los tiempos es más adecuado sostener, por diversos motivos biográficos ha realizado dibujos (en silencio, corresponde agregar) – no bocetos – que operan como inscripciones de momentos que configuran un archivo de vivencias.

La técnica explota al máximo la idea de la creación como proceso y como "trabajo de taller". Los dibujos son intervenidos y fragmentados – se reducen a trazas -, transpuestos y convertidos en otros, puesto que en el proceso se amalgaman nuevas experiencias y otras pierden relevancia. Las obras expuestas son resultantes de etapas sucesivas, estrechamente emparentadas con los oficios del grabado y la escultura, transformados por la revolución tecnológica de la gráfica y la pintura, para nada ajena a las innovaciones de los lenguajes digitales. Tensión que debe ser pensada en el momento de articular su poética.

Las series son subsumidas bajo el nombre de "Lágrimas". Dada la profusa connotación mitológica e iconográfica, así también como las contradictorias valoraciones de las lágrimas – como tema y efecto de la experiencia estética – constituye un dato que no puede ser pasado por alto.

Basta recordar la antigua idea que el destino de las lágrimas subjetivas era trazar el río por donde el alma navegaría hasta el inframundo, tarea con la que contribuía el llanto que se derramaba por el difunto (¿cómo no establecer la pervivencia de esta concepción en las lloronas de velorio que nuestros abuelos alcanzaron a conocer?). Pero justamente, visto su carácter conspicuo, posee un desarrollo polimorfo en la historia del arte.

Sólo para hacer presente alguna de las representaciones menciono la lágrima de dolor – Nuestra Señora de los Dolores- y las lágrimas de arrepentimiento de San Pedro. Desde el punto de vista de las lágrimas como efecto de la contemplación artística, conviene traer a cuento el contraste entre la valoración admirativa de la capacidad lacrimógena del canto de Farinelli y el desprecio a las comedias "larmoyantes" del siglo XVIII.

Tanto en música, como en teatro y artes visuales la consideración de los personajes como seres condenados a la acción sentimental repugna al principio neoclásico que la razón debía dominar el sentimiento. Por otra parte, la hegemonía de "temas para llorar", como una caricatura de lo sublime, en la cultura de masas constituye uno de los aspectos más repudiados por la crítica, estimando que ese efecto es signo de debilidad, superficialidad y alienación. *Las lágrimas de Eros* de G. Bataille articularon las lágrimas en "la dialéctica de la atrocidad" (S. Sontag) que complejizó las consideraciones e imprimió el temple de la producción vanguardista.

Desde fines del siglo XX, el tema de las lágrimas ha sido afectado por un nuevo giro. Posiblemente una de las obras más significativas al respecto es la realizada por Rose-Lynn Fisher en su obra fotográfica "Topología de las lágrimas" – registros de la solidificación de cien lágrimas provocadas por estímulos disímiles -. *Las lágrimas son el medio de nuestro lenguaje más primario en momentos tan implacables como la muerte, tan básicos como el hambre y tan complejos como un rito de transición. Es como si cada una portara un microcosmos de la experiencia colectiva del ser humano*, dice la artista.

No se duda en ubicar la obra de Beatriz García Huertas dentro de este umbral. No sólo utiliza y cuestiona las técnicas heredadas, sino que busca la diferencia en relación con la puesta en tema de las lágrimas. Para alcanzar la fuerza expresiva, como garantía de valor estético, pone en tensión las tecnologías para pensar como la tecnología se inscribe en una matriz de repetición. Lo que se origina como un dibujo – que puede estar cargado de elementos heredados – se convierte en una pintura que sólo toma una huella, en un recorte y ensamblado que alcanza a convertir la lágrima en un trozo abstracto de piel. De este modo, el conjunto que nos es dable contemplar está trazado como un alejamiento del pasado, un distanciamiento que extraña porque muestra los límites a los que se enfrenta.

EDUARDO PEÑAFORT

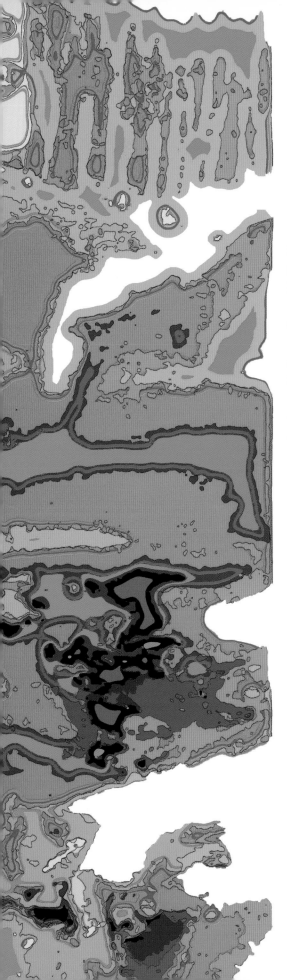

La atención precede y desempeña un papel fundamental en la percepción. El uso (y abuso) de la red ha contagiado todos nuestros ritmos vitales, las estadísticas ya nos hablan de 15 segundos como límite máximo de tal atención.

El artista, aunque enloquecido por esta aceleración exponencial del todo, quiere, debe, necesita comunicar.

Y ahora entonces probemos a entrar en el recorrido visual del público en una muestra de arte, en los 15"de atención a cada obra (¡con suerte!). ¿Puede el artista huir de tal tiranía? ¿Puede ansiar tanto un momento que finalmente dura tan poco?

Algunos creen encontrar la solución (o refugio) en el apoyo verbal de los presentadores, en las descripciones halagüeñas de los críticos, en la guía de curadores o en el uso (lujurioso) de grandes espacios vacíos.

Otros en cambio (les llamemos "resignados") buscan un lenguaje nuevo. Un lenguaje que muchas escuelas críticas obviamente todavía detestan. Imaginemos a quienes vienen de lineamientos conceptuales, verse obligados a aprehender una obra en 15" y percibir que después de tal tiempo la obra no tiene más nada que entregarles.

Un lenguaje que sacrifica todo en función de lo inmediato.

Y bueno ¡SI! Los Graffiti, la lowbrow, el urban art, el surrealismo pop, los art attack, la ironía de la stencilling thechnik, etc, han llegado hace tiempo para quedarse y hasta merecer el (sufrido) respeto de la crítica. El pop art les abrió la puerta y ahora les cede el trono.

Todo por culpa de los 15".

Beatriz García Huertas, proveniente de un escolarismo ortodoxo, nos sorprende en su capacidad de transitar épocas. Rompe una y otra vez sus lineamientos artísticos, sus objetivos, sus técnicas y materiales. No tiene miedos estilísticos (¡algo que habría que exigir por ley!), usa con absoluta libertad los avances técnicos sin creer que esto ponga en duda su maestría manual ya consolidada. No ama auto definirse, deja que nosotros lo hagamos con libertad. Nos muestra sus obras y luego nos pregunta con curiosidad: ¿Quién soy? ¿Qué he hecho? ¿Es arte?

Y bien, a cuatro años de su última muestra, otra vez estas preguntas. ¿Y qué nos encontramos en esta nueva serie?:

¿Recuerdan algún mural que vimos pasando en auto? ¿O de fondo en un film?

Sus dimensiones o sus colores estridentes se plasmaron en nuestras mentes sin exigirnos mayores interpretaciones. El Graffiti y sus derivaciones sabe mucho de esto. De "tiempo" se trata, actuar antes que llegue la policía, de "tiempo" se trata para ser reconocibles al pasante veloz. Lo vimos sólo 15". De este lenguaje se trata. Del shock.

Las obras gráfico-pictóricas de Beatriz tienen quizás nombres que evocan metáforas. ¿De verdad vale la pena buscarlas en 15"?

Las composiciones son premeditadamente más veloces, no nos dejan pensar. Despiertan en nuestras mentes imágenes ya vistas, fotografías satelitales del clima o de las ciudades, nuestro cuerpo visto al interno a través de un PET, elementos figurativos reconocibles por la estridencia de los colores, el efecto Sabattier (hoy delicia del Photoshop), los fluorescentes y los pantone. ¡Mucho y más del mucho! Hasta llegar a la unidad. La imagen es finalmente una. Y se quedó ahí, encandilando nuestra pupila.

Pero la muestra tiene dos caras, la proyectada y la que proyecta.

Y encontramos otra vez los 15" para poder crear un "attack" de gráficas más complejas sobre un muro. La "stencilling thechnique" fue la solución en los '60, nos tenían acostumbrados ya con la omnipresente cara del "Ché".

Luego, las veloces imprentas mandaron al depósito las máscaras, shablon, stencil, plantillas y otros recursos de impresión serial.

¿O no? Porque ahí vuelven nuestros héroes urbanos nocturnos y las rescatan. Elaboran cuidadosamente sus stencil y por las calles plasman las sombras. En sí mismos, son muchas veces brillantes obras de arte gráfica. Hoy hay variedad para el deleite. Fotógrafos y coleccionistas juegan a la caza al tesoro con ellas.

Cuando nos detenemos delante de los stencil de aluminio creados por Beatriz García Huertas, está toda la historia del arte urbano y mucho más. Su alma de escultora no le permite quedarse ahí, juega a desdoblar los niveles de los calados y con la proyección de luces conquista el espacio tridimensional. El tránsito del observador creará una diferente escultura lumínica a cada paso. No es necesario detenerse ni observar particulares, es una vivencia de 15".

Muy convencido de esto que hemos hablado, me quedo sorprendido que ustedes hayan perdido más de 15" en leer este texto, (seguramente tienen más de 50 años), pero cada una de las obras de Beatriz García Huertas, detendrá al observador 15 segundos. Un paseo de 15 minutos en total, es todo lo que ella les pide …

Para esos 15 minutos trabajó estos últimos 4 años.

LUCAS J. CARRIERI

Voy anotando en imágenes:
las entre líneas de un temblor,
un cociente furtivo de la sombra,
el residuo de un relámpago…

Es así como me cuelgo a veces
de la lagrima de alguien que no puede llorar, …

Roberto Juarroz

Dibujos de las series
medidas variables
tinta sobre papel

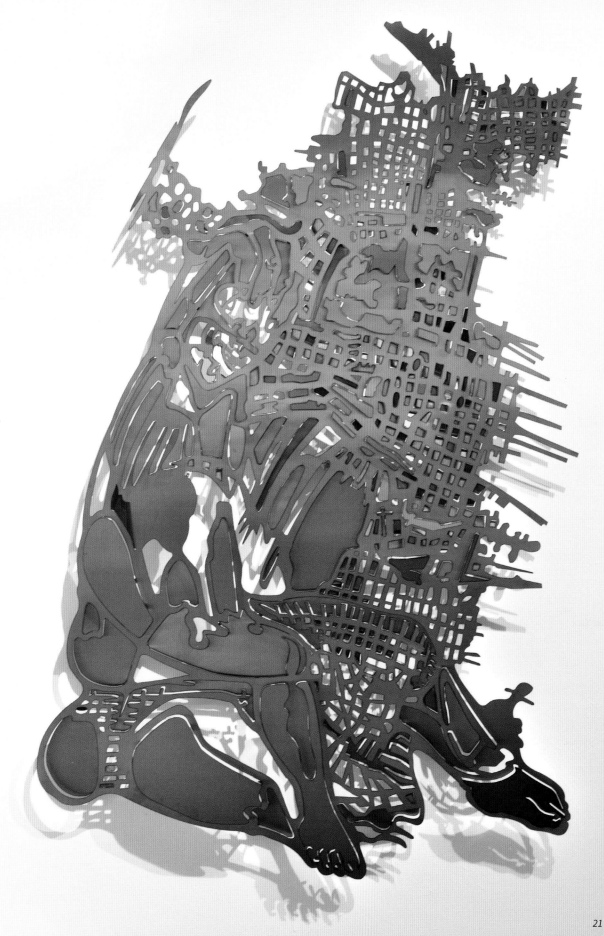

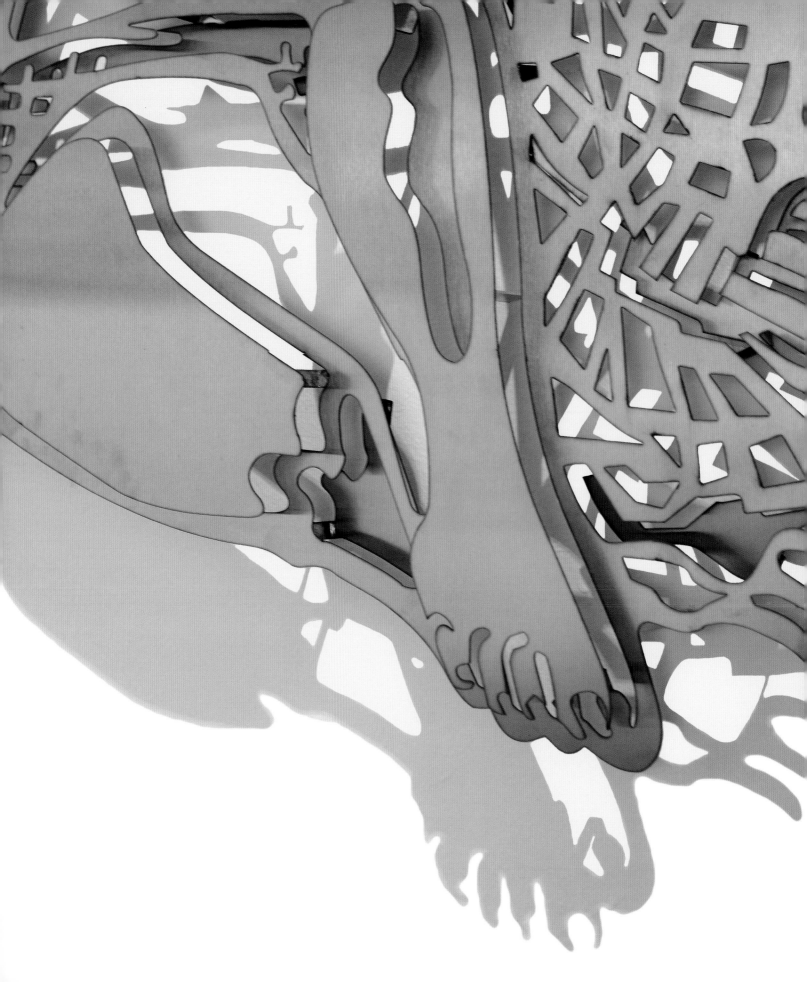

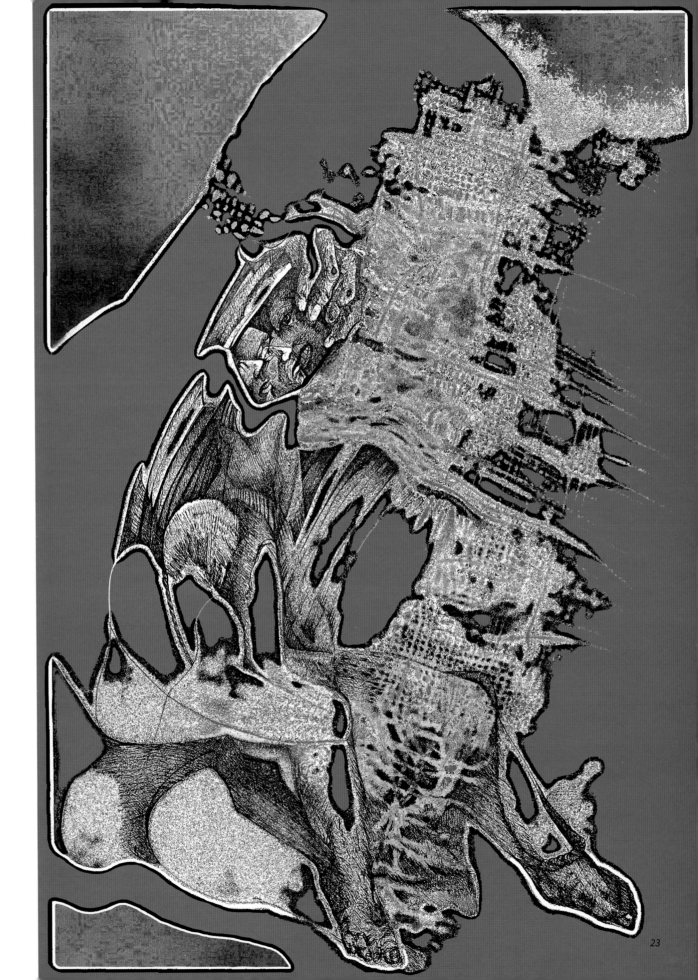

23

24

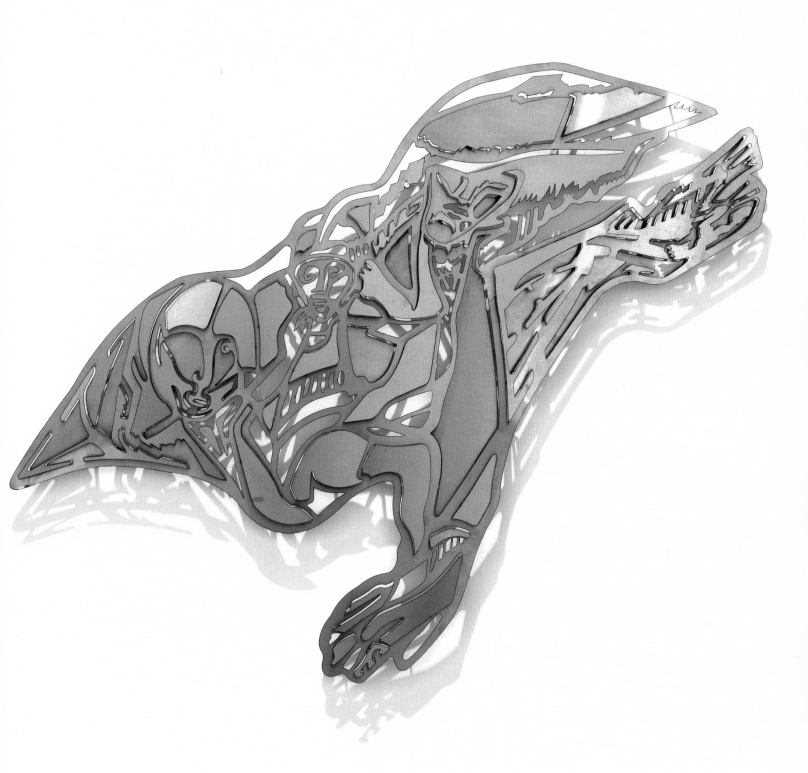

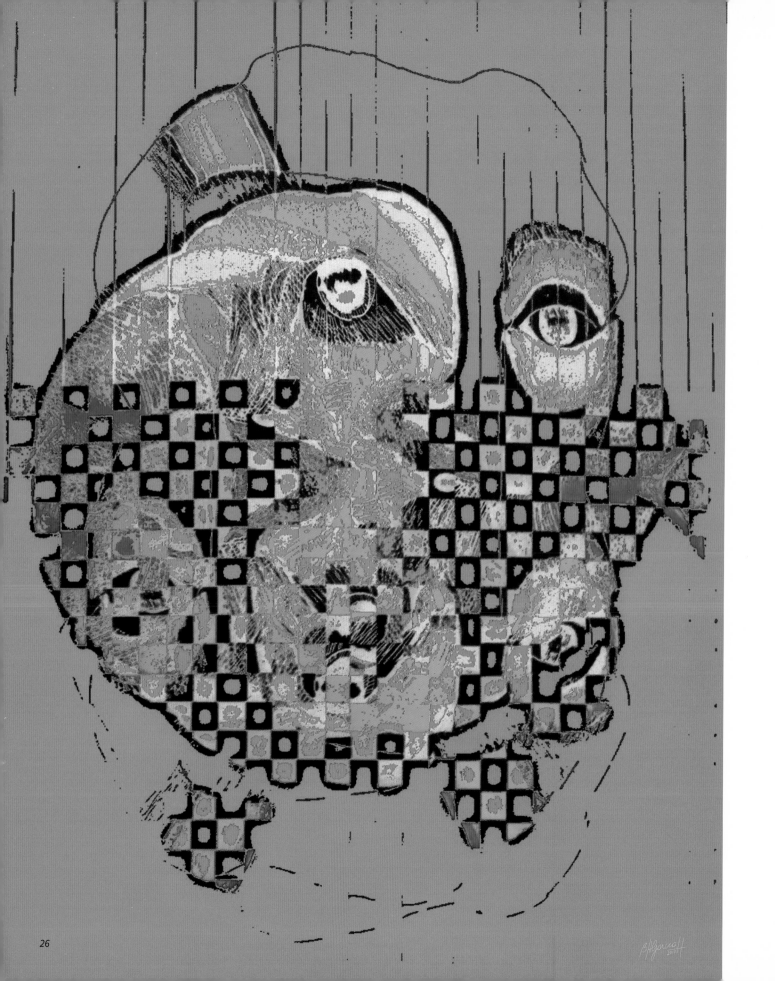

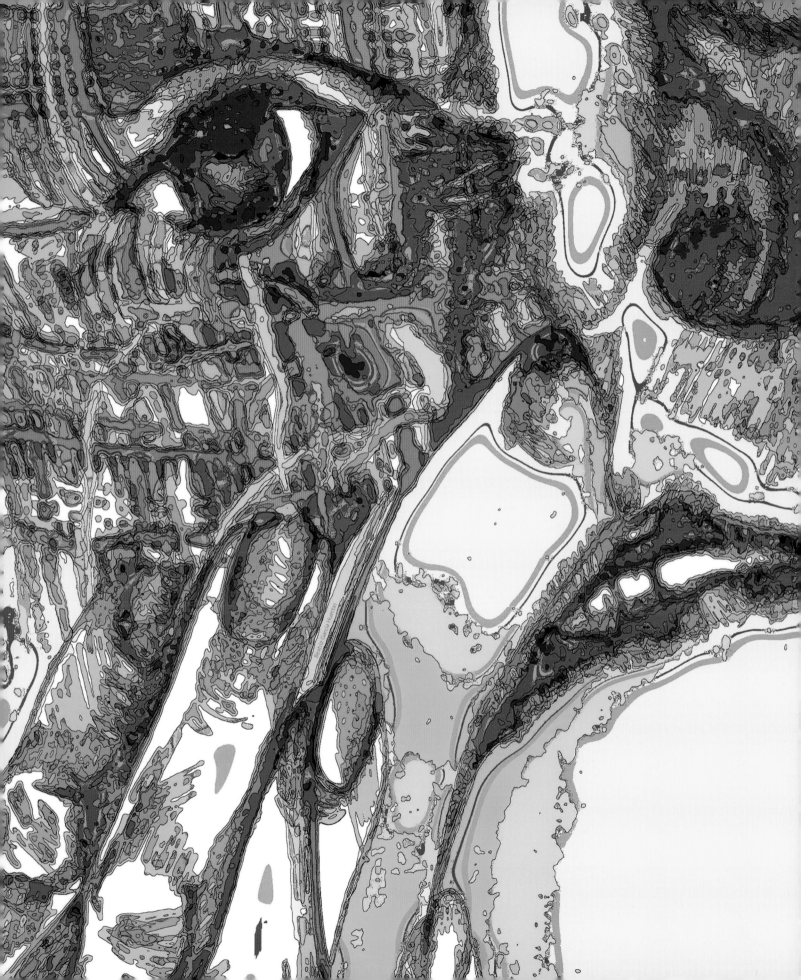

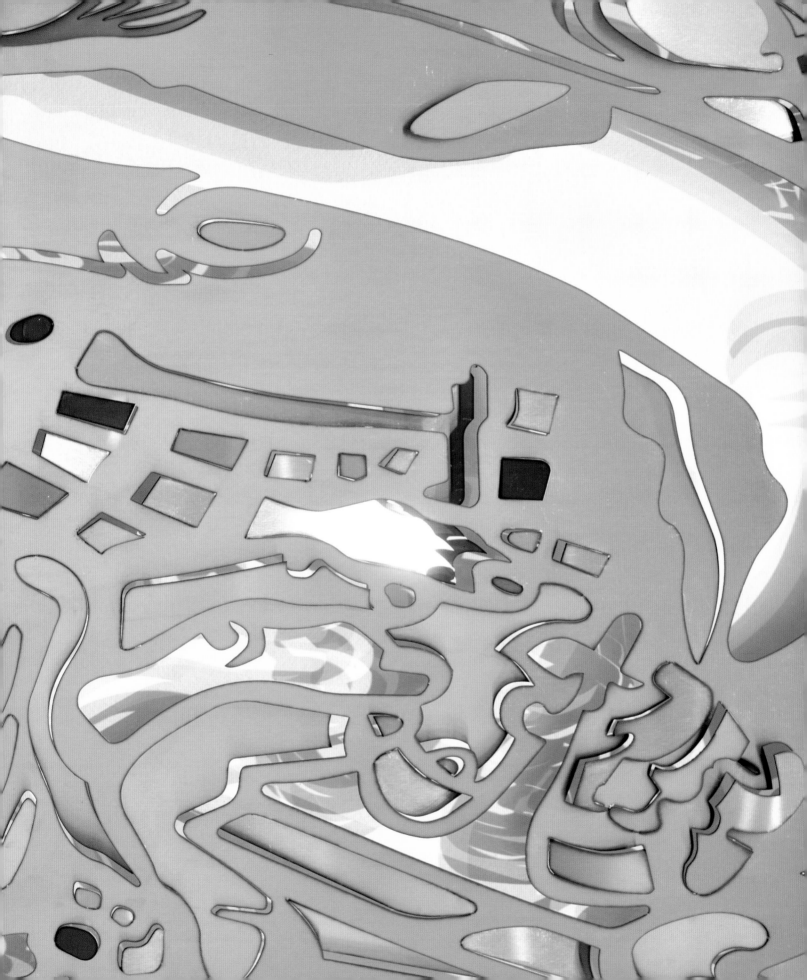

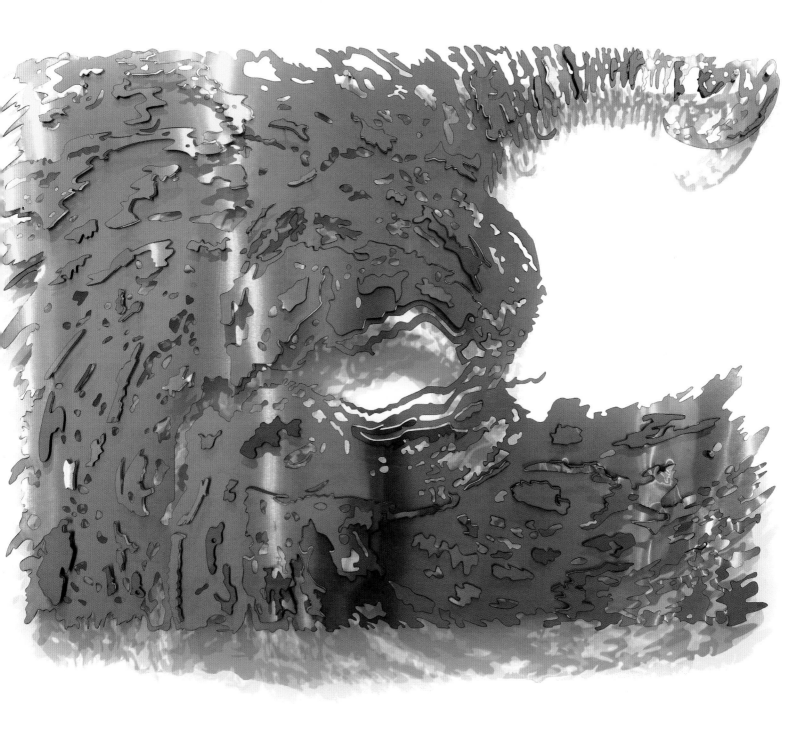

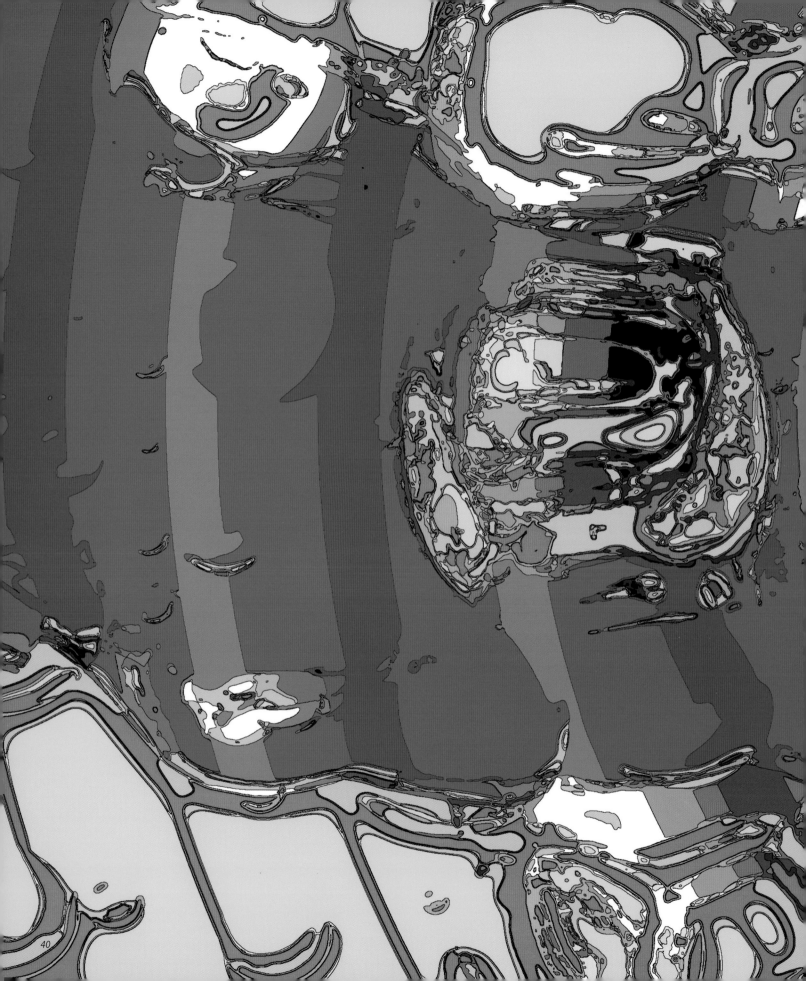

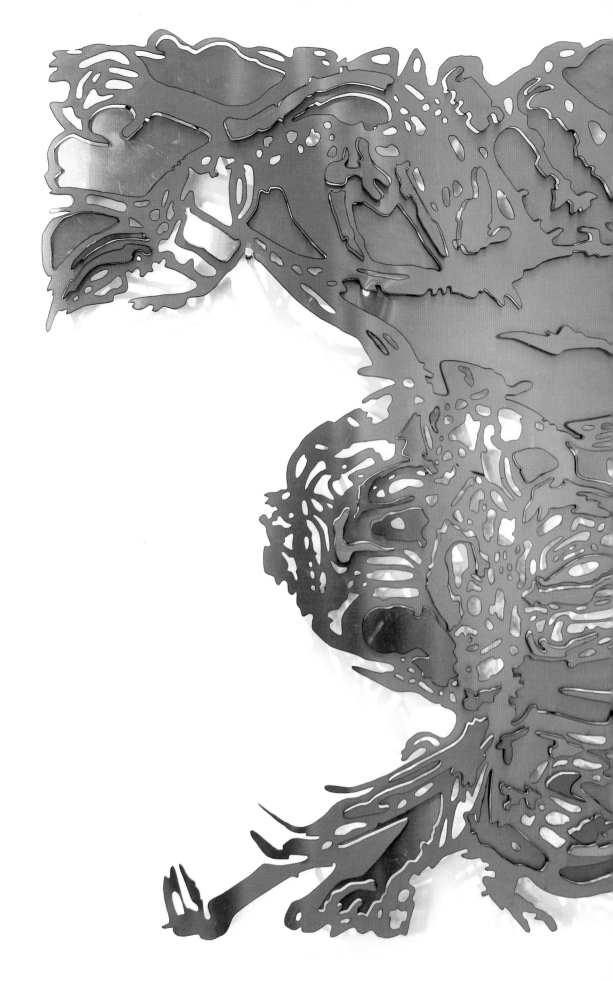

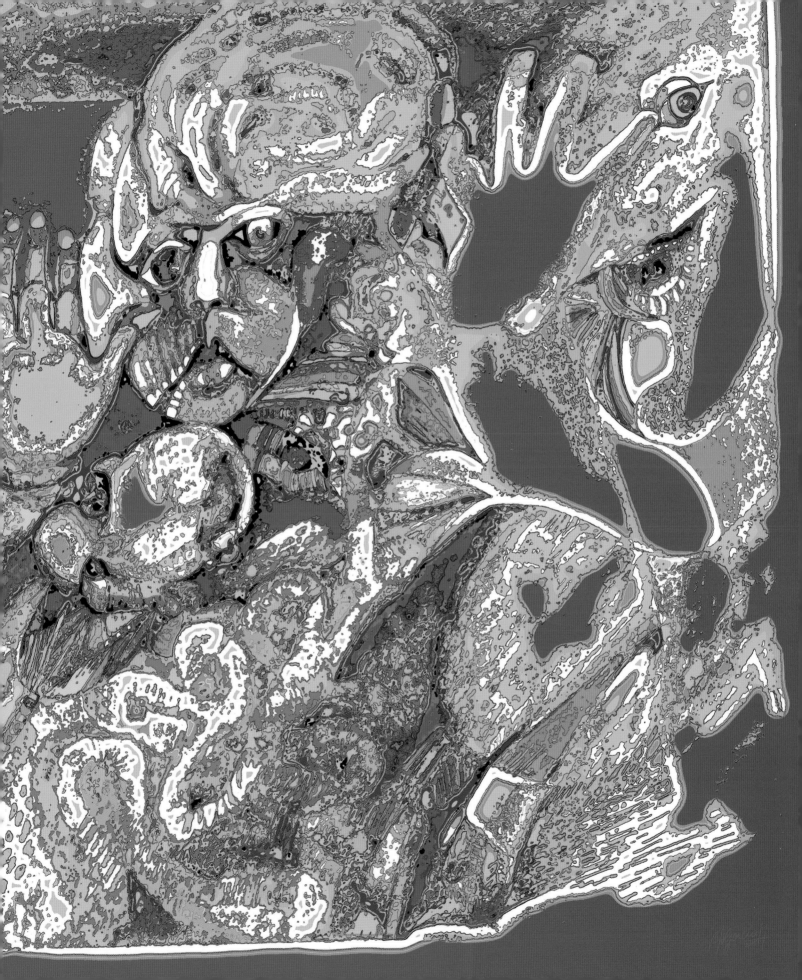

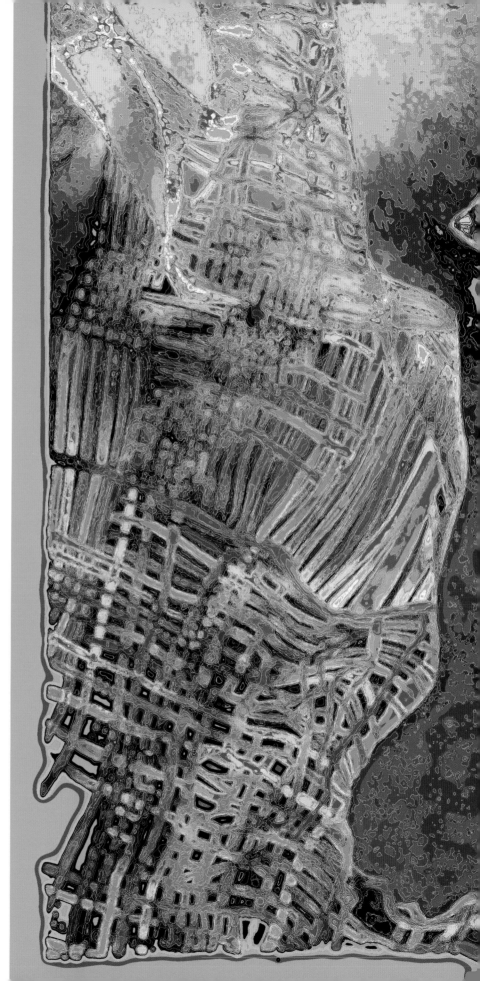

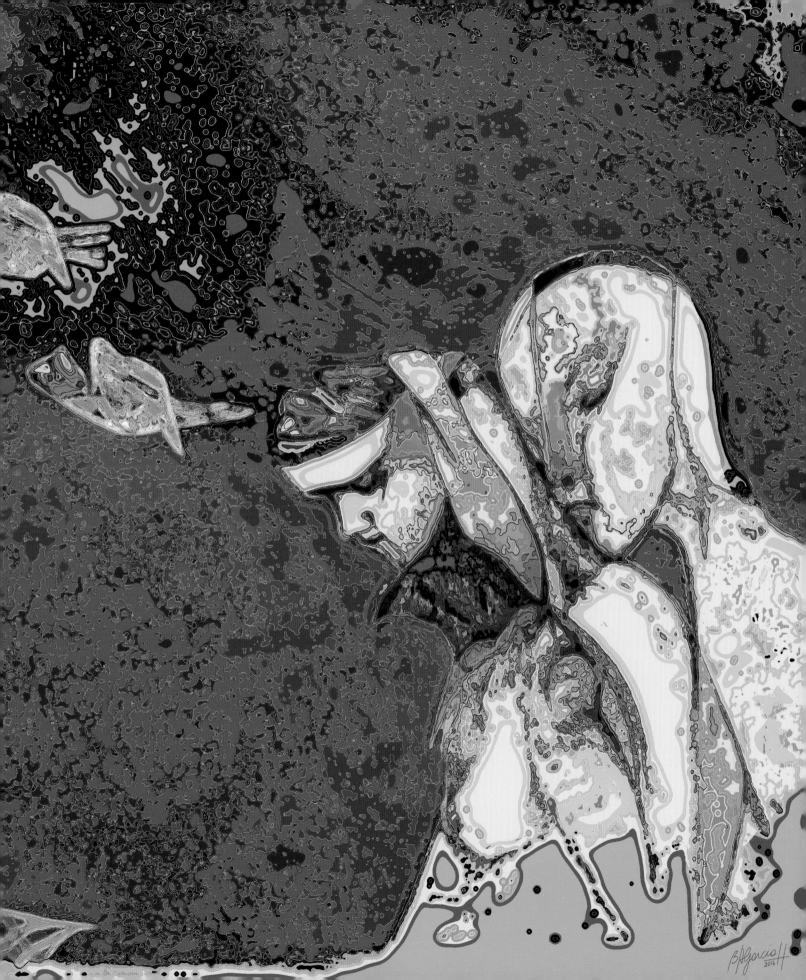

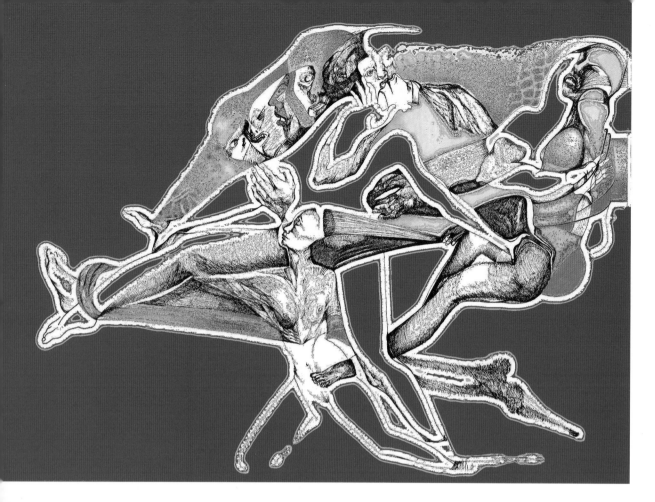

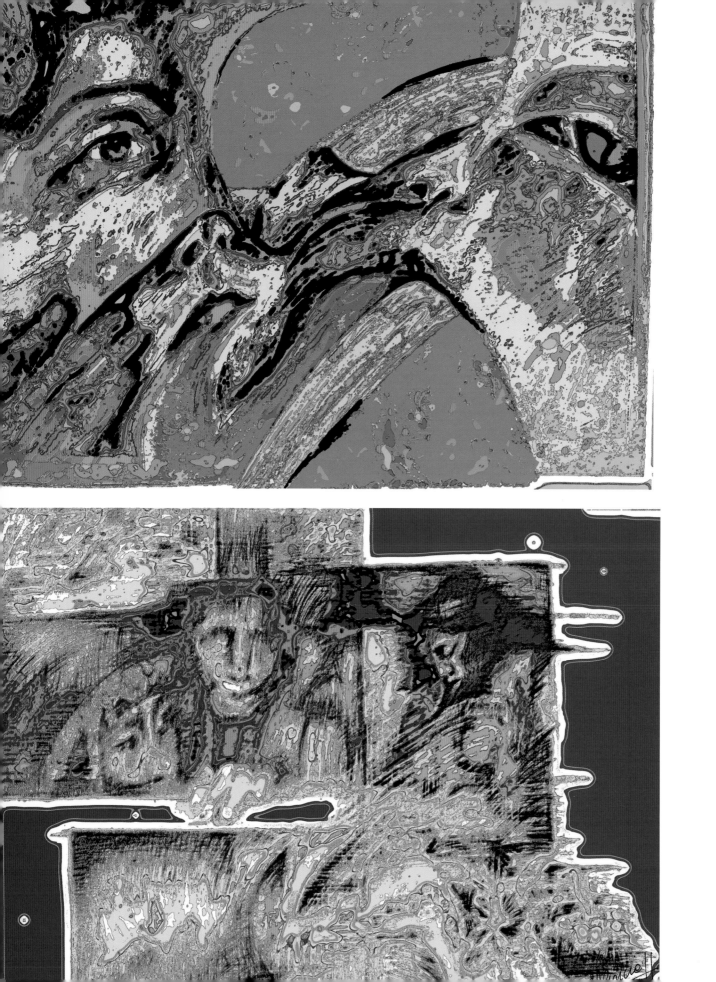

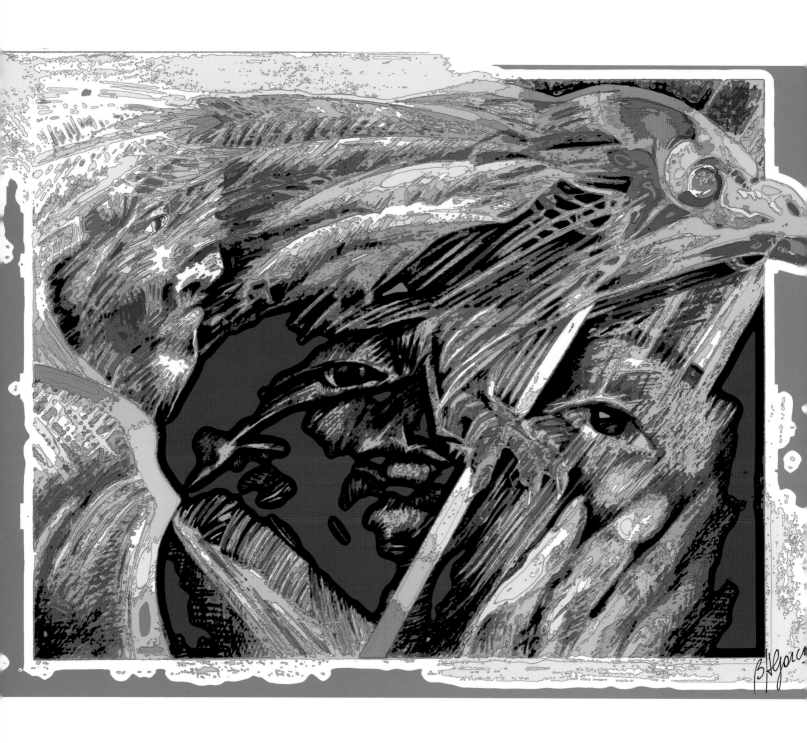

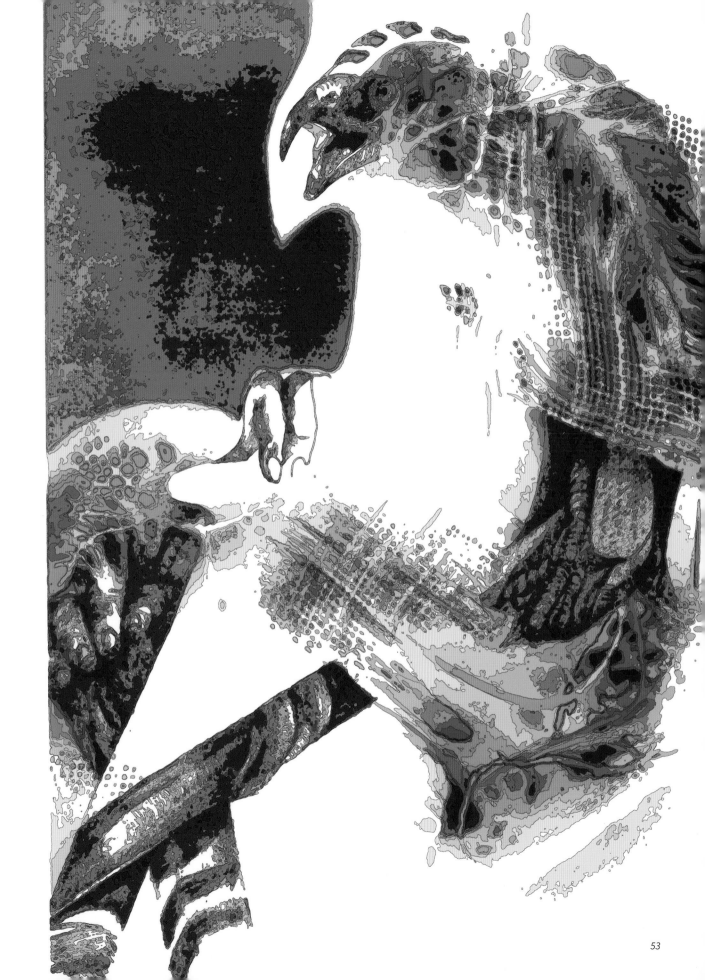

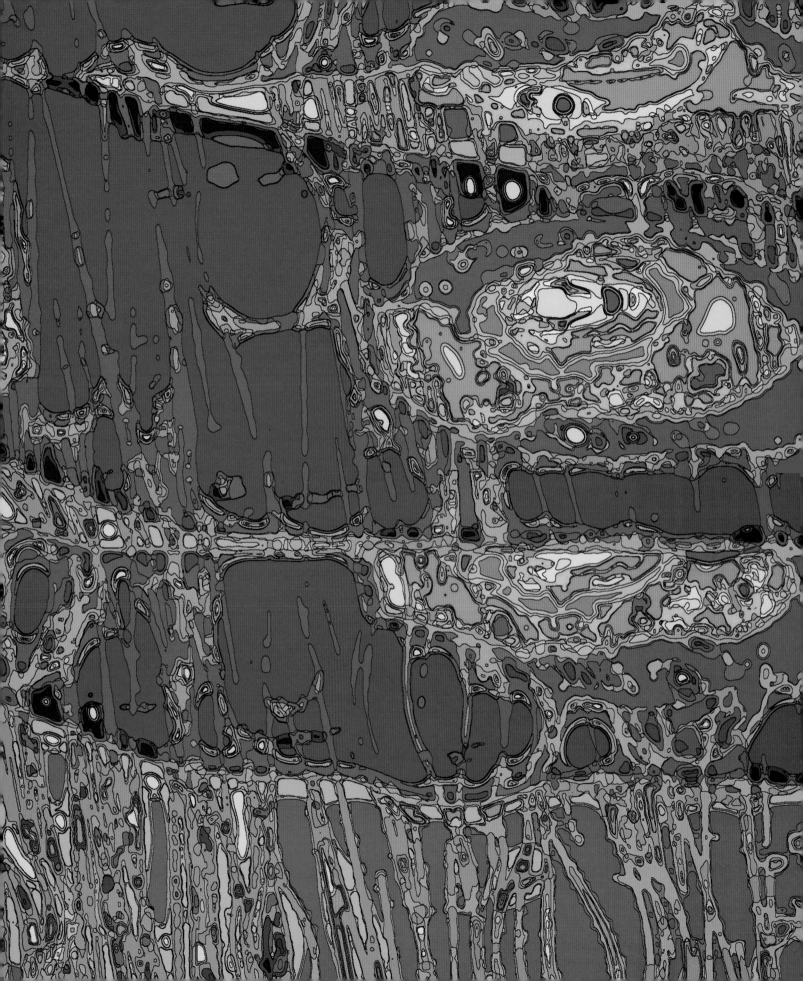

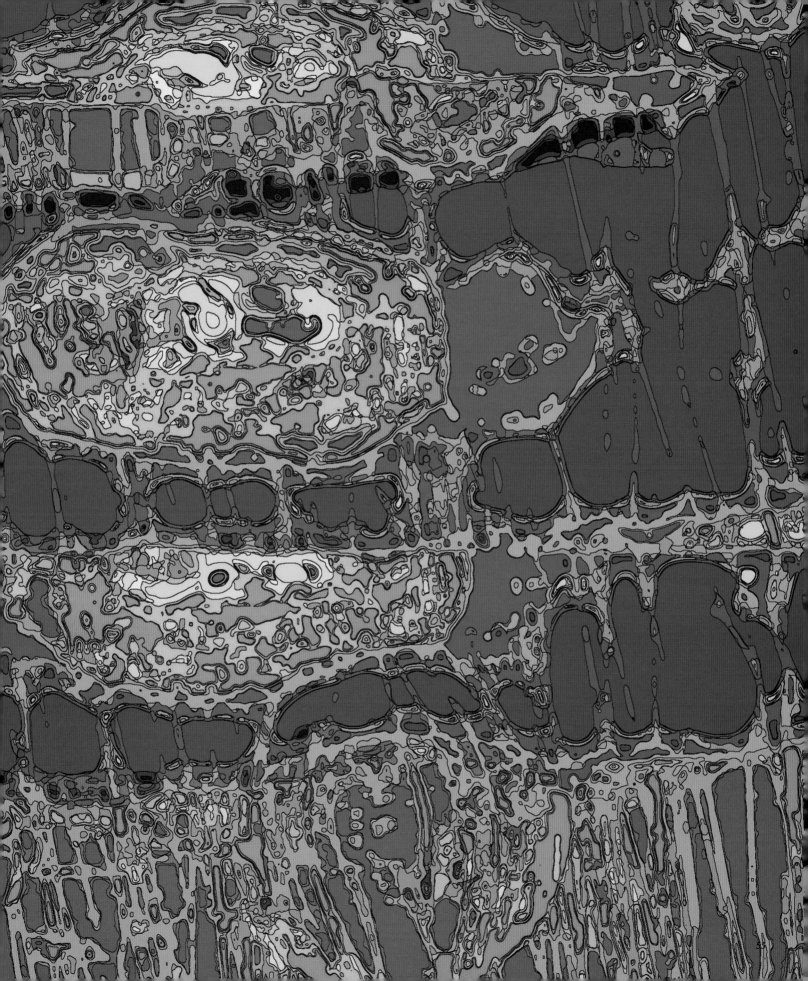

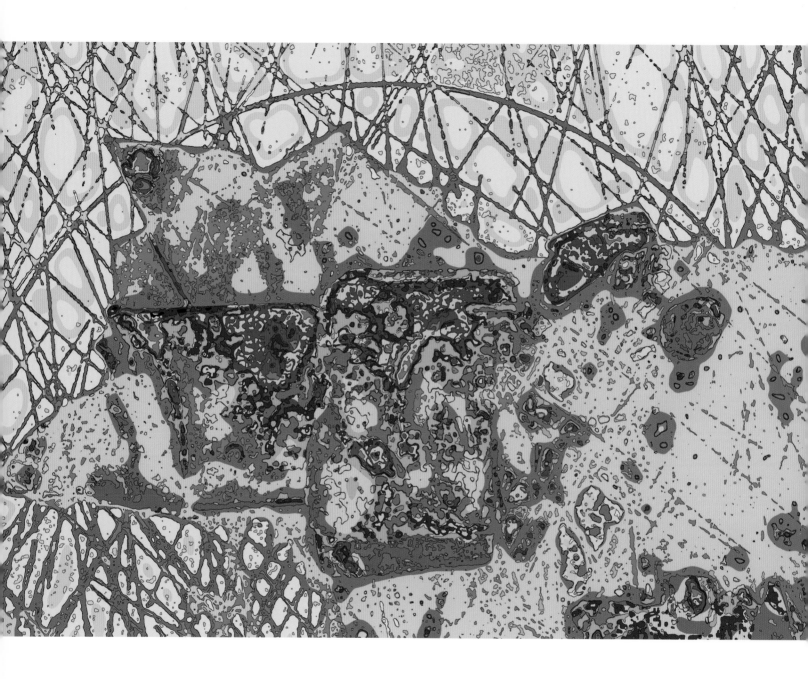

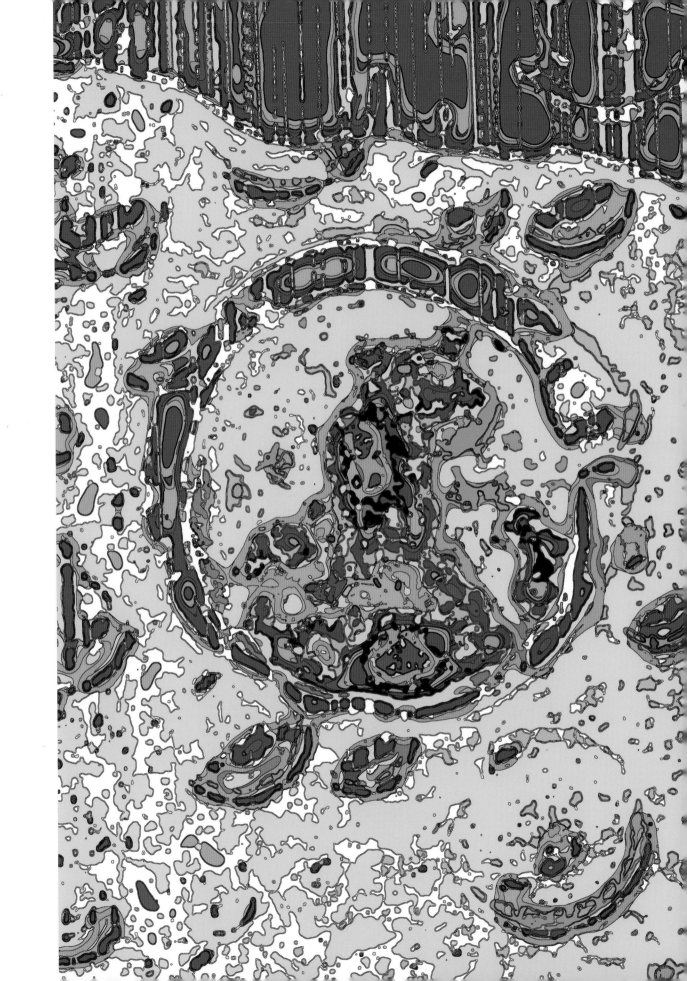

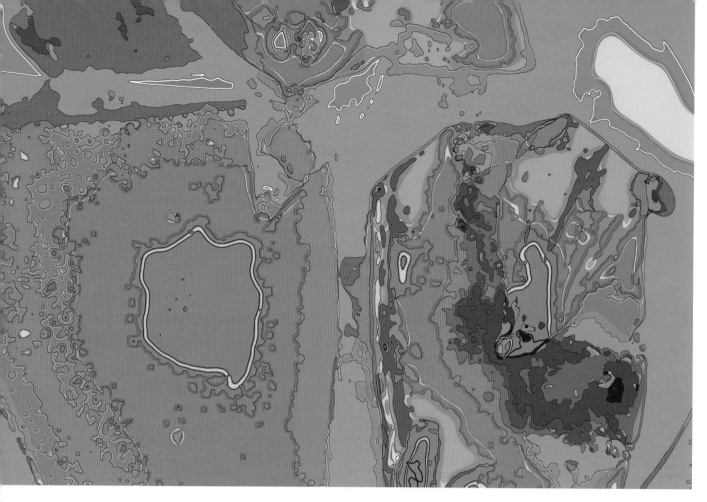

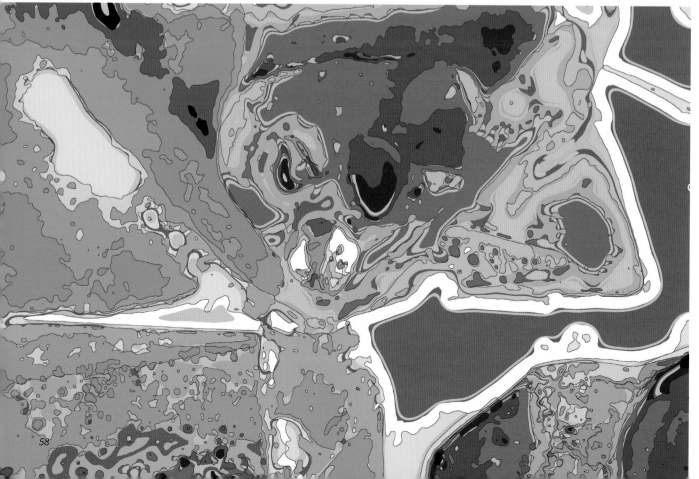

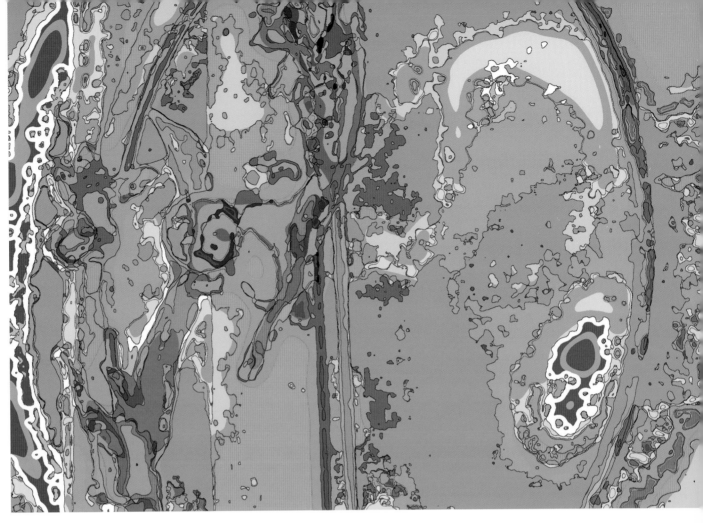

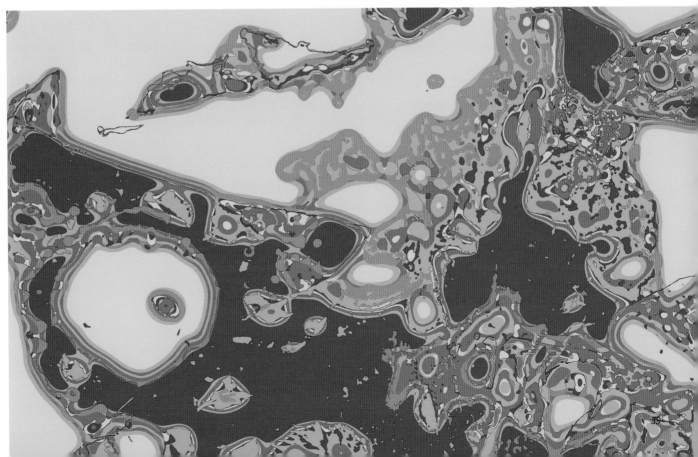

Beatriz García Huertas

Beatriz García Huertas nace en la provincia de San Juan, República Argentina. Profesora de Artes Plásticas, egresada con honores de la Universidad Nacional de San Juan (1974). Realizó numerosos cursos, talleres, seminarios y viajes de perfeccionamiento en arte. Se especializó en Esmalte Cerámico (1981), Esmalte sobre Metal (1985) en la Universidad de Cuyo y en Esmalte sobre Vidrio en el Taller Curuchet Buenos Aires (1987). Técnicas Escultórica con materiales no tradicionales en el Taller Aranovich Buenos Aires (2003).

Ejerció la docencia en el Departamento de Artes de la Universidad Nacional de San Juan como profesora de Fotografía y Filmación (1978 - 1988). Se desempeñó como Consejera Académica para el Departamento de Artes de la Universidad Nacional de San Juan (1984). Ejerció como Profesora en las Cátedras Cerámica I y II, Escultura I y II y en Lenguaje III en la Universidad Nacional de San Juan, Colegio Central Universitario Mariano Moreno (desde 1988 hasta el 2011). Designada Jefa del Departamento de Artes del Colegio Central Universitario Mariano Moreno (1990).

Desde 1980 a la fecha realizó más de sesenta exposiciones individuales y colectivas abordando diferentes materiales y técnicas plásticas. En el campo bidimensional trabaja en dibujo, esmalte sobre metal y vidrio. En lo tridimensional en relieves y esculturas en cerámica, madera, metal, vidrio y mármoles. Las técnicas escultóricas que más utiliza son: modelado, talla directa, chapa batida y soldada, fundición (en hierro, bronce, aluminio y acero inoxidable), ensambles con diferentes materiales, vitrofusión, etc.

Intervino como Jurado en Salones Nacionales y Regionales de Escultura, Pintura y Fotografía en los años 1992, 1993, 1994, 2013 entre otros.

Participó en la Feria de Galerías de Arte BA con Esculturas realizadas en Mármol de Carrara con la Técnica talla directa, 1997, 1998, 1999, 2000.

Distinguida como Ciudadana Ilustre en Mérito a su Obra Plástica por la Municipalidad de la Ciudad de San Juan. Marzo de 2006.

Seleccionada por la Fundación Plural en la especialidad Dibujo (1988).

Obtuvo el Primer Premio de la Universidad Nacional de San Juan a las Artes Visuales, 2003.

Primer Mención Especial- Premio "Años de Democracia" (2013).

Obtuvo el Primer Premio - Concurso Internacional de Escultura – "Anchipurac es Cultura" con la obra "Gota del Desierto" - mayo de 2019.

Obtuvo el Primer Premio - Concurso Internacional de Escultura Museo de Bellas Artes Franklin Rawson con la obra "Caleidoscopio" - septiembre 2019.

Sus obras se encuentran en colecciones privadas y públicas de Argentina, Brasil, Chile, España, Inglaterra y Estados Unidos, etc.

Beatriz García Huertas en su taller.

San Juan, Argentina.

LISTADO DE OBRAS EXPUESTAS

PINTURAS

La lágrima de Marilú | De la serie *Muñecas de vidriera* | 2015 / 100 x 147,52 cm / Técnica mixta | **Pag. 8**

Antes del Misterio | De la serie *Máscaras* | 2014 / 100 x 133,12 / Técnica mixta | **Pag. 12**

¿Qué nos detiene? | De la serie *¿Hacia Dónde?* | 2016 / 100 x 137,51 cm / Técnica mixta | **Pag. 23**

Pájaro Tripulado | De la serie *Intento de Vuelo* | 2017 / 100 X 131,21 cm / Técnica mixta | **Pag. 24**

Pájaro en red | 2015 / 100 x 133,12 cm / Técnica mixta | **Pag. 26**

Viaje de Lágrimas | De la serie *Lágrimas* | 2018 / 1,00 x 1,40 cm / Técnica mixta | **Pag. 40/41**

Muñecas de Vidriera | De la serie *Muñecas de Vidriera* | 2015 / 100 x 137,52 cm / Técnica mixta | **Pag. 44/45**

Contagio de Alas | De la serie *Migrantes* | 2016 / 100 x 134 cm / Técnica mixta | **Pag. 46/47**

¿Hacia Dónde? | De la serie *¿Hacia Dónde?* | 2016 / 100 x 134,72 cm / Técnica mixta | **Pag. 48 [superior]**

Partida | De la serie *¿Hacia Donde?* | 2016 / 100 x 137,32 cm / Técnica mixta | **Pag. 48 [inferior]**

Quien teje la Sombra | De la serie *¿Hacia Dónde?* | 2016 / 100 x 131 cm / Técnica mixta | **Pag. 49**

Hueco de tiempo | De la serie *Máscaras* | 2014 / 100 x 135,63 cm / Técnica mixta | **Pag. 50 [superior]**

Despedida | De la serie *Migrantes* | 2014 / 100 x 140,78 cm / Técnica mixta | **Pag. 50 [inferior]**

Retazos de Ausencia | De la serie *Migrantes* | 2016 / 100 x 137,54 cm / Técnica mixta | **Pag. 51**

Rumor de Aleteo | De la serie *Intento de Vuelo* | 2017 / 100 x 136,88 cm / Técnica mixta | **Pag. 52**

Resúmen del Aire | De la serie *Intento de Vuelo* | 2017 / 100 x 143,1 cm / Técnica mixta | **Pag. 53**

Pestañas de Lágrimas | De la serie *Lágrimas* | 2018 / 100 x 140 cm / Técnica mixta | **Pag. 54/55**

Lágrimas en el Desierto | De la serie *Lágrimas* | 2018 / 100 x 140 cm / Técnica mixta | **Pag. 56**

Lágrima de Carnaval | De la serie *Lágrimas* | 2018 / 100 x 140 cm/ Técnica mixta | **Pag. 57**

Lágrima de Risas | De la serie *Lágrimas* | 2018 / 100 x 149,39 cm/ Técnica mixta | **Pag. 58 [superior]**

Lágrima de Libertad - De la serie *Lágrimas* | 2018 / 100 x 133,33 cm / Técnica mixta | **Pag. 58 [inferior]**

Lágrima vegetal | De la serie *Lágrimas* | 2018 / 100 x 133,33 cm / Técnica mixta | **Pag. 59 [superior]**

Lágrima de Sol | De la serie *Lágrimas* | 2018 / 100 x 149,39 cm / Técnica mixta | **Pag. 59 [inferior]**

Retrato | De la serie *Retratos* | 2014 / 100 x 126,52 cm / Técnica mixta

Tres Lágrimas | De la serie *Lágrimas* | 2018 / 100 x 140 cm / Técnica mixta

Salto de una Lágrima | De la serie *Lágrimas* | 2018 / 100 x 140 cm / Técnica mixta

Lágrima en el Viento | De la serie *Lágrimas* | 2018 / 100 x 140 cm / Técnica mixta

Ríos de Lágrimas | De la serie *Lágrimas* | 2018 / 1,00 x 1,40 cm / Técnica mixta

Lágrima en Viaje | De la serie *Lágrimas* | 2018 / 100 x 149,39 cm/ Técnica mixta

Lágrima de Partida | De la serie *Lágrimas* | 2018 / 100 x 149,39 cm / Técnica mixta

RELIEVES

¿Qué nos detiene? | 2019 / 190 x 130 x 8 cm / Relieve en acero inoxidable | **Pag. 21**

Pájaro tripulado | 2019 / 120 x 150 x 8 cm / Relieve en acero inoxidable | **Pag. 25**

Pájaro en red | 2019 / 145 x 125 x 8 cm / Relieve en acero inoxidable | **Pag. 27**

Antifaz | 2019 / 247 x 125 x 8 cm / Relieve en acero inoxidable | **Pag. 29**

Ola de Lágrimas | 2019 / 555 x 235 x 8 cm / Relieve en acero inoxidable | **Pag. 32/33**

Salto de una lágrima | 2019 / 127 x 165 x 8 cm / Relieve en acero inoxidable | **Pag. 35**

Lágrima en el viento | 2019 / 130 x 180 x 8 cm / Relieve en acero inoxidable | **Pag. 36/37**

Ola | 2019 / 82 x 50 mts x 8 cm / Relieve en acero inoxidable | **Pag. 38/39**

Viaje de una lágrima | 2019 / 137 x 175 x 8 cm / Relieve en acero inoxidable | **Pag. 42/43**

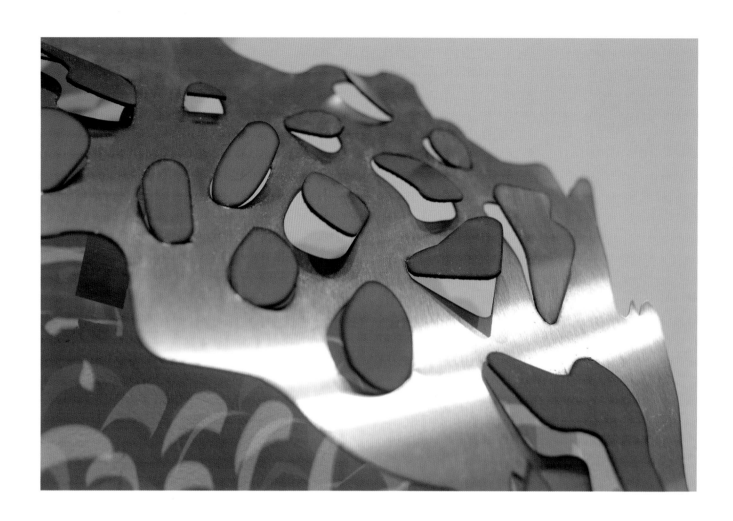

Exposición realizada entre marzo y mayo de 2019,
en el Museo Provincial de Bellas Artes
Franklin Rawson, San Juan, Argentina.

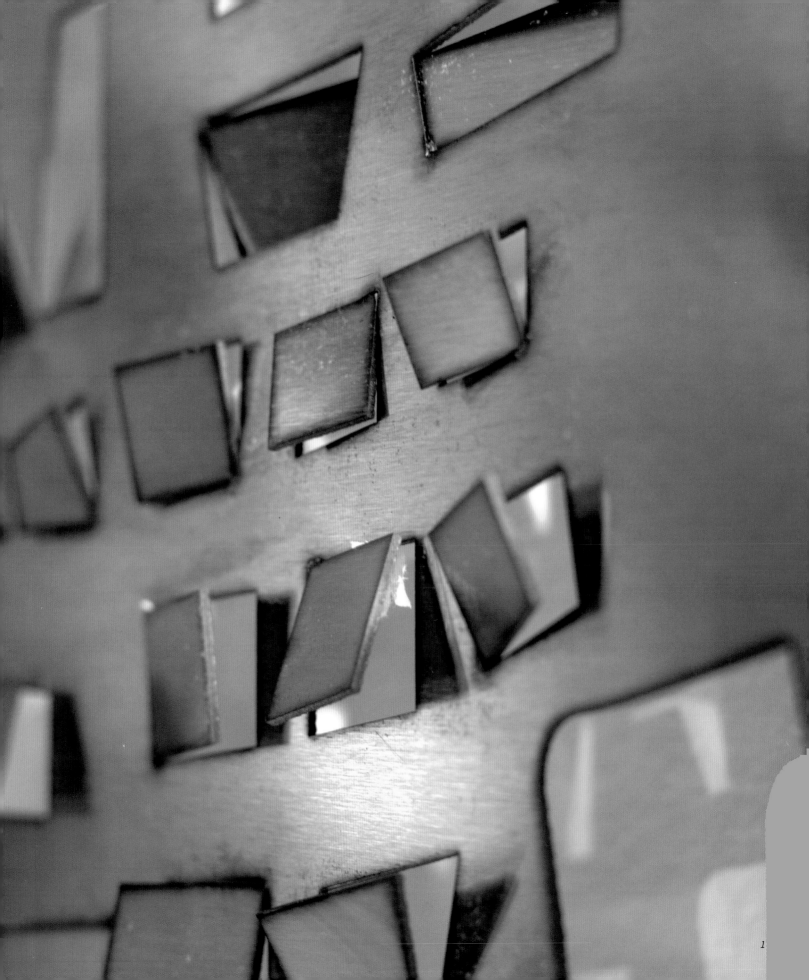